2～3岁儿童

全新修订版

潜能开发

左脑+右脑
均衡开发

主编/清 英

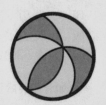

明天出版社

图书在版编目(CIP)数据

2-3 岁儿童潜能开发 ：全新修订版 / 清英主编. --济南 ： 明天出版社，2017.5
ISBN 978-7-5332-9241-6

Ⅰ. ①2… Ⅱ. ①清… Ⅲ. ①学前儿童－智力开发 Ⅳ. ①G610

中国版本图书馆 CIP 数据核字(2017)第 080992 号

2~3岁·全 新 修 订 版

儿童潜能开发

出 版 人 / 傅大伟
选题策划 / 张 弘
主　　编 / 清 英
责任编辑 / 张富华
美术编辑 / 杨 瑞
图　　文 / 清英文化
设计制作 / 河马文化
规　　格 / 205mm×235mm 20 开
印　　张 / 7
版　　次 / 2017 年 5 月第 1 版
印　　次 / 2019 年 9 月第 32 次印刷

出版发行 / 山东出版传媒股份有限公司
　　　　　明天出版社
http://www.sdpress.com.cn
http://www.tomorrowpub.com
地　　址 / 山东省济南市胜利大街 39 号
邮　　编 / 250001
经　　销 / 各地新华书店
印　　刷 / 延边星月印刷有限公司
ISBN 978-7-5332-9241-6
定　　价 / 19.80 元

（如有印装质量问题，请直接与印刷厂联系调换。）

 1级题

3 级题

左脑+右脑

1级题

挑水果

图中有很多水果和蔬菜,其中哪些是水果呢?请宝宝把它们挑出来吧!

绿色的事物

宝宝看一看例图中的大西瓜是什么颜色的，下面还有哪些事物和大西瓜的颜色相同呢？

认识数字 3

下面的数字念"3"，宝宝，快来念一念，再找出图中数量是 3 的一组物品吧！

桌子上下

宝宝看一看，桌子上有什么？在它旁边画口；桌子下有什么？在它旁边画〇吧！

同类的事物

上下两组事物中哪两个事物属于同一类呢？请宝宝想一想，连一连吧！

猜猜看

鲜艳的彩纸上是什么事物的剪影呢？请宝宝想一想，猜猜看吧！

草莓在哪

　　小姐姐的衣服上藏着一颗草莓,宝宝能把它找出来吗?快用小手指一指吧!

提示

　　宝宝首先要知道草莓是什么样子的,再从上到下地观察图片,找到草莓。

三角形在哪里

例图中画着一个三角形,请宝宝仔细看下面的图片,把藏在其中的三角形找出来吧!

例

9

大象浇花

图中的大象在做什么呢？没错，大象在浇花呢！
请宝宝用铅笔沿着虚线画出水流吧！

零乱的线条

宝宝，在零乱的线条中藏着谁的剪影呢？仔细看一看，说一说吧！

11

找妈妈

动物宝宝都找不到自己的妈妈了，请宝宝帮动物宝宝找到各自的妈妈吧！

拼一拼

下面的拼图能组成哪个图案呢？请宝宝仔细观察，选一选吧！

组合能力

判断力

什么食物

　　每幅图中分别是哪种食物的一部分呢？请宝宝看一看，说说它们的名称。

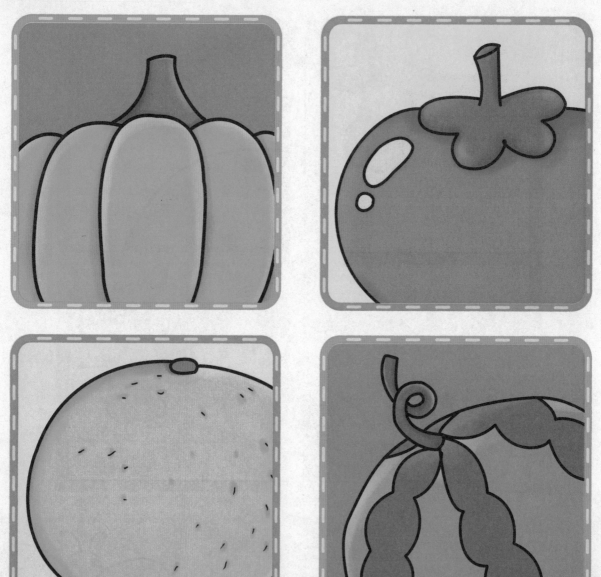

提示 可以引导宝宝通过形状、颜色等判断食物是什么。

相同的卡片

　　每张卡片上都有两只漂亮的蝴蝶，宝宝看一看哪两张卡片上画着相同的蝴蝶呢？快来连一连吧！

比较能力

比高矮

小哥哥和小姐姐谁长得高，谁长得矮呢？宝宝比一比，说一说吧！

紫色的事物

　　例图中的茄子是紫色的,下面还有哪个事物和茄子的颜色相同呢?请宝宝看一看,选一选吧!

数一数

看，小兔子要去采蘑菇啦！请宝宝用小手点数一下，图中有几朵蘑菇。

提示

数完蘑菇后，还可以让宝宝数一数小花、大树等事物的数量。

找三角形

小哥哥在海上航行呢！请宝宝找到图中的三角形，涂上红色吧！

图形认知

白鹅游水

宝宝快来跟着妈妈念古诗,再说一说大白鹅的羽毛和脚掌都是什么颜色的吧!

咏鹅

鹅,鹅,鹅,　曲项向天歌。
白毛浮绿水,红掌拨清波。

提示

念完古诗后,可以让孩子说说图中的事物都是什么颜色的,如花是什么颜色的,水是什么颜色的等等。

找数字

看，小动物们在表演杂技呢！请宝宝仔细看一看，在图中找到数字 1、2、3 吧！

找帽子

小哥哥和小姐姐玩得真开心。他们分别戴着哪顶帽子呢？宝宝快来连一连吧！

谁飞得高

小鸟和飞机哪个飞得高,哪个飞得低呢?请在飞得高的旁边画○吧!

23

哪个不同类

图中的交通工具都是什么呢？宝宝看一看，其中哪个和其他的不同类，选出来吧！

24

找蘑菇

图中的雨伞和蘑菇放在了一起,请宝宝把蘑菇找出来吧!

观察力

25

变魔术

　　看,魔术师正在为大家表演魔术呢!宝宝猜一猜,魔术师在布帘后藏了哪种动物。

拔胡萝卜

小兔子在菜地里拔胡萝卜呢！它想拔长在中间的胡萝卜，宝宝帮它选一选吧！

小猴爬树

瞧，两只小猴在比爬树呢！宝宝看一看，它们中哪只爬得高，把它圈出来吧！

找袜子

两个小哥哥都只穿了一只袜子，宝宝，你能帮他们找到相搭配的另一只袜子吗？快连一连吧！

提示

引导宝宝根据袜子的颜色、花纹找到另一只袜子。

伞下是谁

下雨了，两个小动物打着伞在山坡上玩呢！宝宝知道它们都是谁吗？说一说吧！

小猴和小松鼠

小猴和小松鼠正在玩捉迷藏,请你找一找它们分别藏在哪里,再说说它们分别有几只吧!

分蛋糕

把三块蛋糕分给三只小老鼠,应该怎么分呢?
宝宝想一想,分一分吧!

谁在玩

天黑了，还有几个动物在树林里玩呢！宝宝快喊出它们的名字，让它们快些回家吧！

海豚顶球

看，三只海豚在水里表演顶球呢！宝宝看一看，哪只海豚顶的球与例图相同，把它圈出来吧！

例

短跑比赛

小羊和小马在赛跑，谁跑在前面？把它旁边的○涂成红色；谁跑在后面？把它旁边的○涂成绿色。

夏天在哪里

　　琪琪拍了两张照片,哪张照片是在夏天拍的呢? 请宝宝选一选,把它旁边的○涂上红色吧!

找正方形

小熊在画板上画了许多不同的图形，其中哪些是正方形呢？请宝宝帮它找出来吧！

找小熊

看，动物们在游乐场里玩得多开心。咦，小熊在哪呢？宝宝快把它找出来吧！

提 示 宝宝找到小熊后，可以再让他找其他动物，并说说动物们都在做什么游戏。

找不同

瞧，两只小企鹅在练习滑冰呢！请宝宝仔细观察，找出它们身上的 3 处不同。

观察力

比较能力

盖房子

瞧，小熊和小狗扛着木头要盖房子呢，它们谁扛的木头粗呢？宝宝看一看，指一指吧！

画着什么

　　看，大海上有一个动物在游泳，宝宝，你知道它
是谁吗？快仔细看一看，说一说吧！

企鹅钓鱼

两只企鹅分别能钓到哪条鱼？请宝宝用小手沿着虚线找一找吧！

找衣帽

兔爸爸准备出门上班啦！请宝宝帮它找到合适的衣服和帽子吧！

提示

宝宝首先要分清衣服和帽子，再分清哪些是男款的，说说上班应该穿什么衣服，综合比较，选出答案。

哪里画错了

下面的每幅图中都画着一只可爱的动物,可是每只动物身上都有一处错误,宝宝说说哪里画错了。

提 示

先分清每幅图画的是什么动物,再根据已有的常识,说出哪里画错了。

左脑+右脑

2级题

摆玩具

地上的几个玩具应该放在玩具柜的哪一层呢？请你连一连吧！

提示 宝宝可以先看看每排架子上都放了些什么玩具,再在地上找出同类的玩具。

盒子里的玩具

宝宝想把玩具收拾一下，其中哪件玩具已经在盒子里面了？看一看，指一指吧！

提 示 宝宝说出答案后，还可以让他说一说还有哪些玩具在盒外，再数一数图中共有多少个玩具。

顶 碗

看，杂技演员在表演顶碗呢，哪个杂技演员顶的碗最多呢？宝宝数一数，说一说吧！

提示

先数一数每个杂技演员头上顶了多少个碗，再进行比较。也可以根据碗的高度判断谁顶的碗最多。

什么颜色

图中的帽子、手套、裤子和裙子分别是什么颜色的呢？请宝宝在旁边的□里涂上相同的颜色吧！

颜色认知

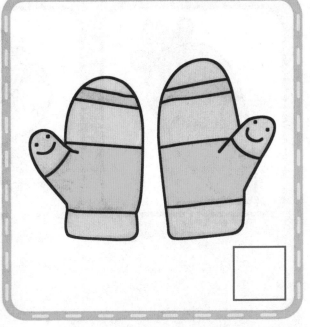

找同类

宝宝看一看，上下两组中哪两样物品属于同一类呢？想一想，连一连吧！

有趣的图形

宝宝认识例图中的图形吗？请你说一说它们的名称，再从下面找出相同的图形，并涂上相同的颜色。

注意力

爬楼梯

小乌龟和小兔子在比赛爬楼梯呢！请宝宝把虚线描一描，帮小兔和小乌龟快些爬上楼吧！

52

白云像什么

天空中的云朵真好看，宝宝发挥想象力，说一说云朵的形状像什么吧！

冬天的衣物

冬天真冷啊！狐狸宝宝要出门，它应该穿戴什么呢？快帮它选一选吧！

涂色画

请宝宝按照提示给下面的线条画涂色吧！看看能涂出什么图案。

颜色认知

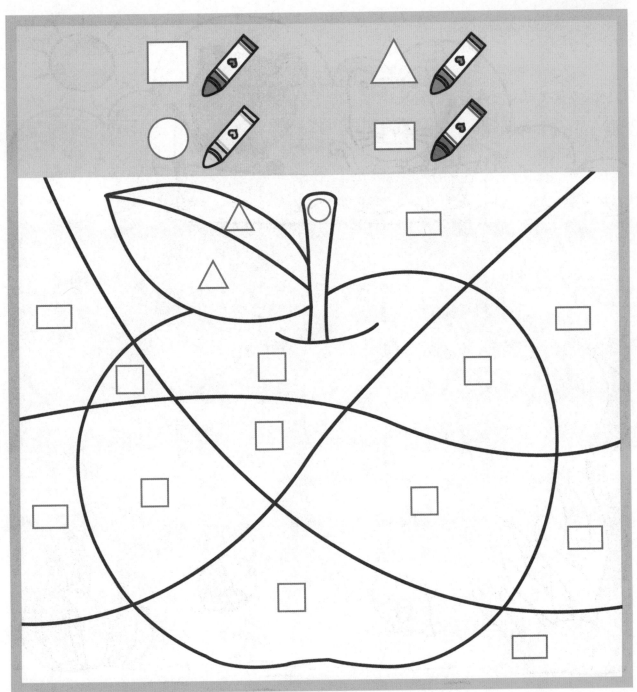

钓 鱼

小熊和小猫在钓鱼,它们分别钓到了哪条鱼呢?
请宝宝沿着虚线描一描,找一找吧!

车轮坏了

呀，小猪司机的车轮坏了，需要换一个。它应该选哪一个呢？宝宝快帮它选选吧！

57

跷跷板

跷跷板上的动物玩得真开心，宝宝数一数跷跷板上共有几个动物，找出对应的数字吧！

小猫和小狗

调皮的小猫和小狗在玩椅子呢！请宝宝找出位置相同的小猫和小狗，在〇里涂上相同的颜色吧！

说名称

请宝宝说一说图中衣物的名称,再指一指它们都穿戴在身体的哪个部位。

补全小格布

小女孩在小格布上剪下了三块，请宝宝仔细看一看，下面的几块分别是从哪剪下来的？连一连吧！

分一分

香蕉和小汽车分别应该属于哪一组呢？请宝宝仔细看一看，分一分吧！

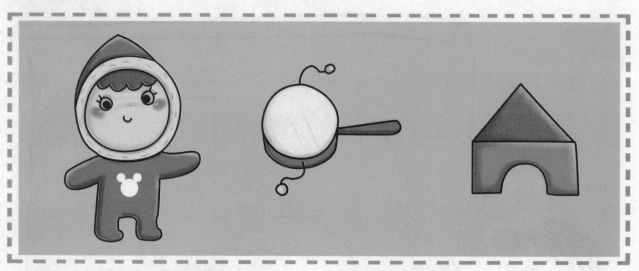

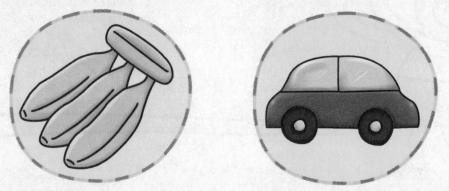

颜色相同的卡片

下面的卡片上分别画着什么？都是什么颜色的？请宝宝把画着相同颜色物品的两张卡片连起来。

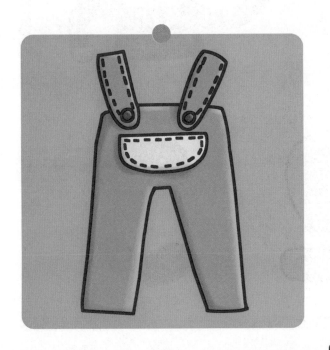

63

 左脑

2+1=3
数学能力

数字与手势

下面的小朋友做出的手势分别表示数字几呢？宝宝看一看，连一连吧！

拼 图

上下两组图片分别能拼成什么图案呢？请宝宝拼一拼，连一连吧！

宝宝的照片

例图中宝宝的照片在哪里？请仔细看一看，找一找，用小手指出来吧！

例

提示

引导宝宝逐个观察照片上的
人物，再和例图中的小朋友对比，
找到答案。

谁的背影

　　储物柜里有三个玩具,请宝宝根据它们的背影来判断它们都是什么吧!

刺猬摘果子

　　小刺猬一起去摘果子了，它们谁身上的果子最多呢？宝宝数一数吧！

一样的照片

图中的照片哪两张一模一样呢？请宝宝仔细看一看，找一找吧！

右脑
观察力

登梯子

小熊和小狗准备登梯子,可是梯子上缺少了几条横梁,请你帮它们把梯子画好吧!

画着什么

漂亮的花纸上画着哪些动物的剪影呢？请宝宝
想一想，猜一猜吧！

视觉激发

71

左脑

常识认知

准备睡觉喽

小宝宝要睡觉了,她需要什么呢?请你帮她在下面的物品中选一选吧!

一样的热气球

小动物们乘热气球升上了天空。哪两个小动物乘坐的热气球一模一样呢？宝宝看一看，指出来吧！

提示

宝宝可以通过颜色、花纹找到相同的热气球。

几个水果

宝宝，数一数每组有几个水果，再和对应的数字连一连吧！

小壁虎爬格子

小壁虎要爬过所有画着圆形的格子，它会爬过哪些格子呢？请你看一看，指一指吧！

左脑

比较能力

比一比

每组的食物中,哪边的多?比一比,在〇里涂上颜色。

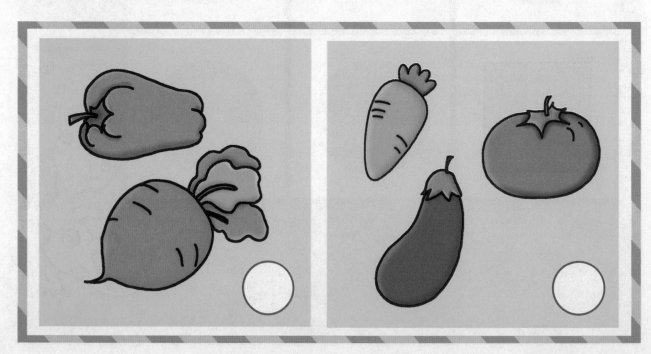

找小蛇

树林里藏着 3 条小蛇, 宝宝, 你能把它们找出来吗？快来试一试吧！

提示

宝宝在找小蛇时, 可以按一定顺序观察图片, 如从上到下, 或从左到右, 以免漏掉或数重。

比较能力

大鱼吃小鱼

不好了,大鱼要把小鱼吃掉。宝宝快来指一指,哪条鱼最大,哪条鱼最小。

不完整的照片

动物的照片被撕成了两半，请宝宝仔细观察，把可以拼成一张照片的两部分连起来吧！

组合能力

画一画

　　请宝宝参照左图,照样子在右图中画出同样的图案吧!看谁画得又快又好。

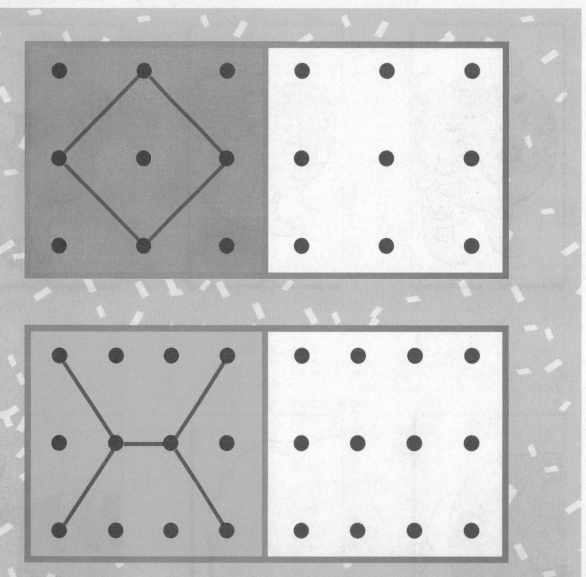

　　提　示　宝宝在画线之前可以先在右图中找到与左图对应的点,再连点成线。

在干什么

图中的小姐姐在做什么？空白处应该是什么物品呢？请宝宝选一选吧！

左脑 判断力 + 右脑 生活能力

哪个不同

图中哪件物品和其他四个不同类呢？请宝宝看一看，选出来吧！

提示

宝宝可以一一说出每种物品的名称，这样就知道五件物品中只有一件是手套，其他都是帽子了。

吃掉了哪条鱼

　　鱼缸里的鱼怎么少了一条？原来是被小花猫偷吃了。宝宝，你能猜到它偷吃了哪条鱼吗？

83

跳远比赛

小兔和袋鼠比赛跳远，它们谁跳得远呢？请宝宝给跳得远的小动物旁边的小旗涂上红色吧！

小鸡吃米

瞧，小鸡正跟着鸡妈妈在草地上吃米呢！请宝宝跟着妈妈念儿歌，再在地上画上几颗米粒吧！

小鸡小鸡叽叽叽，
跟着妈妈吃米粒，
你啄东来我啄西，
啄来啄去真欢喜。

生活在哪里

小鱼和小鸟分别应该生活在哪里？宝宝想一想，用小手连一连吧！

 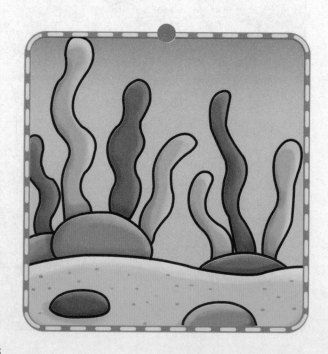

左脑+右脑

3级题

谁的玩具

下图中的玩具分别是谁的呢？请宝宝沿着线条找一找，帮它们找到主人吧！

物品的形状

下面的物品都是什么，它们分别是什么形状呢？
宝宝想一想，连一连吧！

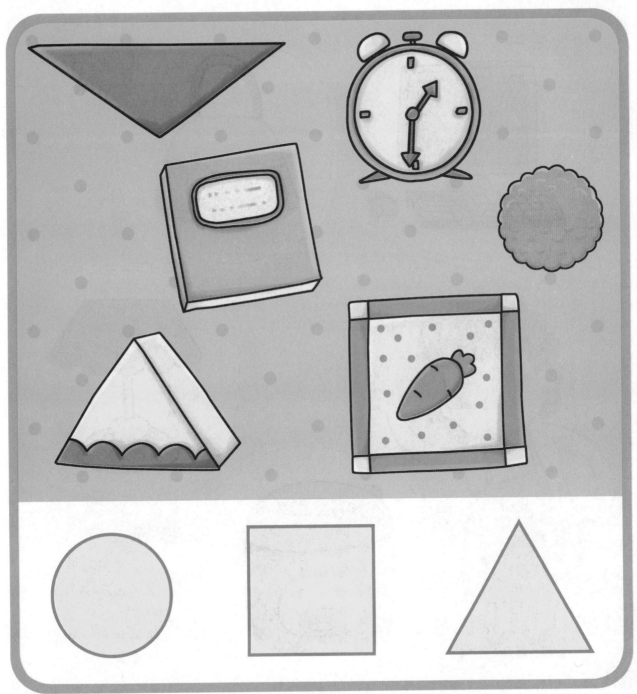

需要什么

妈妈要做饭啦,宝宝知道妈妈需要什么物品吗?
看一看,说一说吧!

提示

宝宝可以说一说图中物品的名称和用途,再帮妈妈找到做饭的工具。

选画笔

图中的小花是由哪几种颜色的画笔画成的呢?
请宝宝仔细看一看,选出对应的画笔吧!

提 示 宝宝要看清题意,只选小花的颜色,蜜蜂的颜色不用选择。

91

类别不同的动物

　　每组中都有一个动物和其他两个不同类,请宝宝想一想,选出来吧!

分饼干

熊妈妈要给三只小熊分饼干,饼干要与盘子的形状相同。熊妈妈应该怎么分呢?

要去做什么

小花猫准备了几种物品,它要做什么呢? 宝宝仔细想一想,猜一猜吧!

提示

宝宝可以说说每种物品的名称和用途,做什么时可以用到,这样,就可以知道答案了。

指出不同点

下面的两幅图中有 2 个地方不一样，请宝宝仔细观察，用小手指出来吧！

提 示 宝宝可以按顺序从上到下观察图片，通过对比找到不同之处。

比较能力

谁的饮料多

小动物们要喝饮料喽！宝宝看一看，它们谁的饮料多呢？快指一指吧！

相同的方向

街道上有很多动物走来走去。哪些动物的行走方向和小胖猪相同呢？请宝宝找出来吧！

提示

宝宝要先找到小猪，指出小猪前进的方向，再找到和它方向相同的动物。

数量相同的物品

　　例图中有几块积木？哪组物品的数量和积木的数量相同呢？请宝宝连一连吧！

补全大图

可爱的树袋熊拼图少了一块,请宝宝仔细看一看,对比一下,把大图补全吧!

组合能力

听听 指指

妈妈来读一读下面的话，宝宝仔细听一听，再指出所描述的人物和动物吧！

穿绿裙子的小姐姐在哪里？

会游泳，叫起来"呱呱呱"的动物在哪里？

放在哪

宝宝想一想，左侧的物品应该放在右侧的哪个位置呢？快来连一连吧！

生活能力

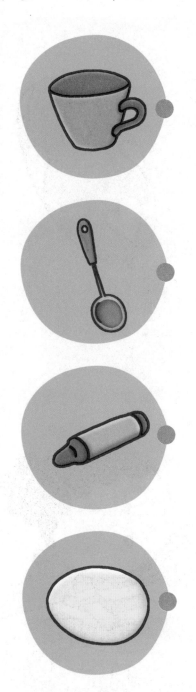

101

找气球

小朋友的气球都飞跑了,他们的衣服和气球的花色都相同,宝宝,快看一看,帮他们找回气球吧!

小丑的帽子

图中有三个小丑，他们分别戴着哪顶帽子呢？
宝宝看一看，连一连吧！

小动物的食物

图中每个小动物爱吃什么？请宝宝想一想，为它们找到各自喜欢的食物吧！

哪里不同

下面两幅图中有3处不同，宝宝仔细看一看，找一找，把它们指出来吧！

小猫回家

小猫只有按数字 1~5 的顺序走，才能回到家。
请帮小猫画出回家的路线吧！

106

小鸡找影子

　　例图中小鸡的影子在哪里呢？宝宝仔细看一看下面的 3 个影子，帮它找出来吧！

会游泳的动物

图中有好多小动物，宝宝看一看，哪些动物会游泳呢？快把它们指出来吧！

画羊圈

小羊要待在羊圈里才不会被狼吃掉哟！请宝宝画一画羊圈，一起保护小羊吧！

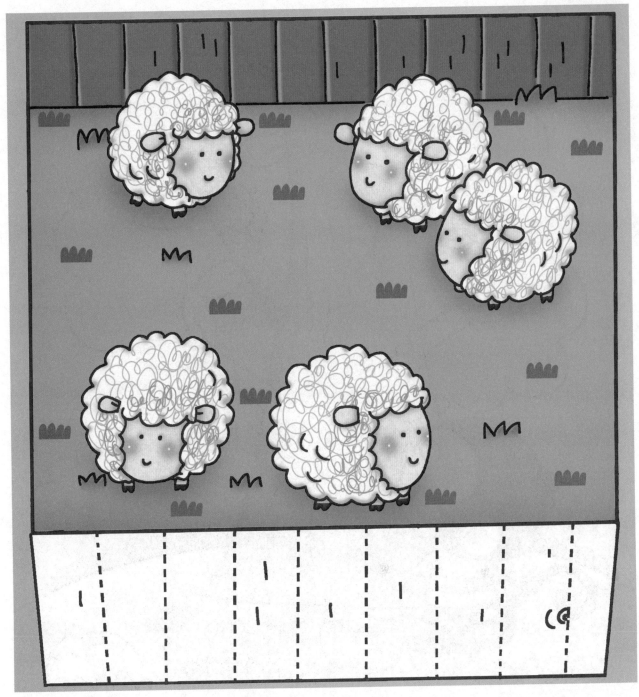

小猴摘桃

　　秋天到了，小猴要把成熟的桃子摘下来。请宝宝仔细看图，帮小猴找到图中的 3 个大桃子吧！

小狗的照片

小狗拍了一张照片，可是照片被盖住了一部分，宝宝知道被盖住的部分是什么图案吗？选一选吧！

提示

宝宝可以仔细看图，用选项中的几块小图与大图缺少部分的边缘做对比，如果重复则是错误的，如果恰巧吻合，则为正确答案。

应该在哪里

下面的事物应该在大图的什么位置呢？请宝宝连一连，说一说吧！

兔妈妈买菜

　　兔妈妈去市场买菜,它要买绿色和红色的蔬菜,宝宝看一看,快帮它装进篮子里吧!

选礼物盒

三个小动物要选和自己的衣服图案相同的礼物盒,宝宝看一看,帮它们选一选吧!

不一样的气球

两只小熊分别拿着4个气球,请宝宝看一看,说说哪个气球不一样。

观察力

提示

做对比时,可以以其中一只熊的气球为准,与另一只熊的气球比较,找到相同的可以连起来,最后剩下的就是不同的气球。

鸡妈妈找宝宝

三个鸡妈妈的宝宝不见了,这可把它们急坏了。你能帮它们找到各自的宝宝吗?

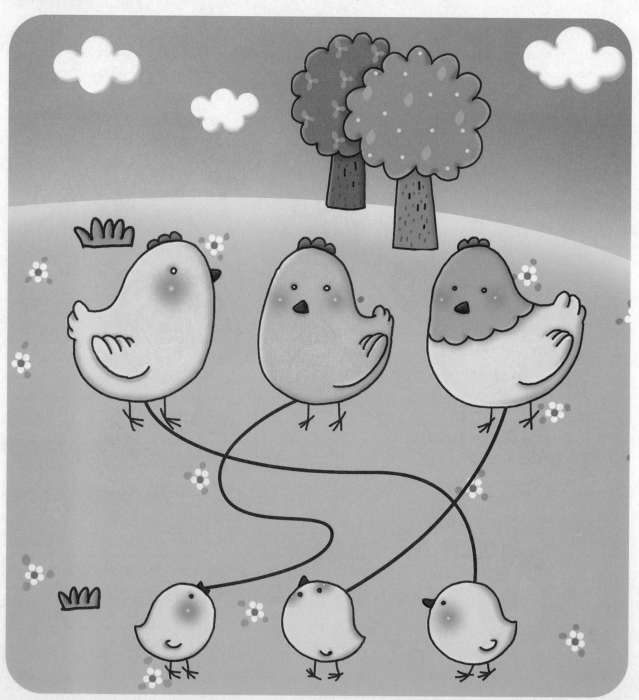

拼拼图

小猫的照片上缺少了一部分，请宝宝选择一块合适的小图，把大图补充完整吧！

组合能力

117

小狮子的照片

小狮子拍了两张小猴吃香蕉的照片,宝宝看一看,哪张照片是先照的,把它指出来吧!

提示

如果宝宝注意观察,就会发现猴子手里的香蕉发生了变化,由香蕉的变化可以判断哪幅图是先拍的。

生日礼物

　　小斑马过生日，收到了三件生日礼物。宝宝看一看都是什么。然后再合上书，说出礼物的名称吧！

捉迷藏

动物们在玩捉迷藏，宝宝指一指动物们都藏在哪儿，再说说它们的名字吧！

120

找耳朵

下面的小动物都少了一只耳朵，请宝宝选一选，连一连，帮它们找到另一只耳朵吧！

数一数 连一连

下面每组都有几个物品？请宝宝数一数，把数量相同的两组物品连起来吧！

水果的影子

吃水果喽，宝宝看一看，三只小兔分别端着什么水果呢？说一说吧！

不同类的物品

下面每组物品中都有一个和其他三个不同,请宝宝想一想,把它选出来吧!

小鳄鱼画图形

小鳄鱼在画板上画了许多图形,宝宝看一看哪些是圆形呢?快找出来吧!

比较能力

小兔子买菜

小兔子要去买菜,哪个菜市场离小兔子家近呢?请宝宝指出来吧!

提示

首先应找到小兔子的家在哪里,然后再比较两条路的长短,较短的路所指的市场离小兔家最近。

找不同

小狗去航海，照了两张照片，请宝宝找出两张照片的3处不同。

在找不同时，宝宝要从左到右细致地观察两幅图，找到一处后就用笔圈出来，这样能更快地找到3处不同。

整理房间

这是谁的房间呀,可真乱! 宝宝快来帮忙整理一下,把东西放在下面合适的位置吧!

数数 画画

宝宝，数一数图中的小动物分别有多少，然后按要求画出相应的图形吧！

有几只 🐸 就画几个 △

有几条 🐟 就画几个 □

有几只 🐛 就画几个 ○

参考答案

P5

P11

P29

P6

P14

南瓜　　西红柿

橘子　　西瓜

P23

P34

P8

P24

P26　斑马

P38

参考答案

P39

P41  鲸鱼

P43

P44

P46

P54

P57

P59

P63

P67

P68

P73

三个果子

参考答案

P75

P77

P81

P83

P86
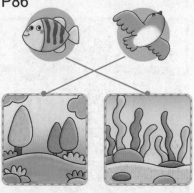

P91

P93

P95

P97

P99

P101
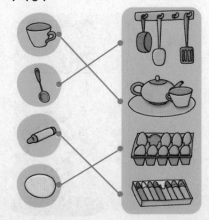

参考答案

P103

P105

P106

P108

P110

P115

P117

P121

P123 西瓜、香蕉、桃子

P124

P127

智·学·课

儿童潜能开发

全新修订版